Para Toby

Primera edición en inglés,   2016
Primera edición en español, 2016

Browne, Anthony
    Willy y la nube / Anthony Browne ; trad. de Susana
Figueroa León. — México : FCE, 2016
    [32] p. : ilus. ; 25 × 25 cm — (Colec. Los
Especiales de A la Orilla del Viento)
    Título original: Willy and the Cloud
    ISBN 978-607-16-3688-1

    1. Literatura infantil I. Figueroa León, Susana, tr.
II. Ser. III. t.

LC PZ7   Dewey 808.068 B262w

Distribución mundial en español

© 2016, Brun Limited
Publicado por acuerdo con Walker Books Limited, Londres SE11 5HJ

D. R. © 2016, Fondo de Cultura Económica
Carretera Picacho Ajusco 227; 14738, Ciudad de México
www.fondodeculturaeconomica.com
Comentarios: librosparaninos@fondodeculturaeconomica.com
Tel.: (55)5449-1871

Colección dirigida por Socorro Venegas
Formación: Miguel Venegas Geffroy
Edición y traducción: Susana Figueroa León

ISBN 978-607-16-3688-1

Se terminó de imprimir en julio de 2016
El tiraje fue de 22 000 ejemplares

Impreso en China • *Printed in China*

WILLY Y LA NUBE

ANTHONY BROWNE

LOS ESPECIALES DE
A la orilla del viento

FONDO DE CULTURA ECONÓMICA

Todo comenzó un cálido día soleado cuando
Willy decidió ir al parque.
   Cuando salió no había una sola nube en el cielo.
   (Bueno, sólo una pequeñita.)

"Es un poco molesta", pensó.

La nube parecía seguirlo.

"¿Qué está pasando?"

"Creo que ya se fue..."

"Sí, ya se fue… ¡Fiu!"

(Pero Willy estaba equivocado…)

Todos en el parque se divertían a lo grande.
Pero Willy sólo temblaba.

Así que se fue a casa.

¿Por qué la nube lo seguía? ¿Qué podía hacer?

—Hola —dijo Willy—. ¿Hablo a la policía?

—Sí, señor, ¿en qué lo podemos ayudar?

—B...bueno, verá, m... me están siguiendo.

—Ya veo, señor, ¿y quién lo está siguiendo? ¿Puede darme alguna descripción?

—Mmm... bueno, es un poco difícil. Es... es una nube.

— ¿Lo está siguiendo una NUBE?

—Sí, una GRAN nube...

Willy escuchó las carcajadas burlonas de los policías.

—¡Oh, cielos! —suspiró. Y colgó.

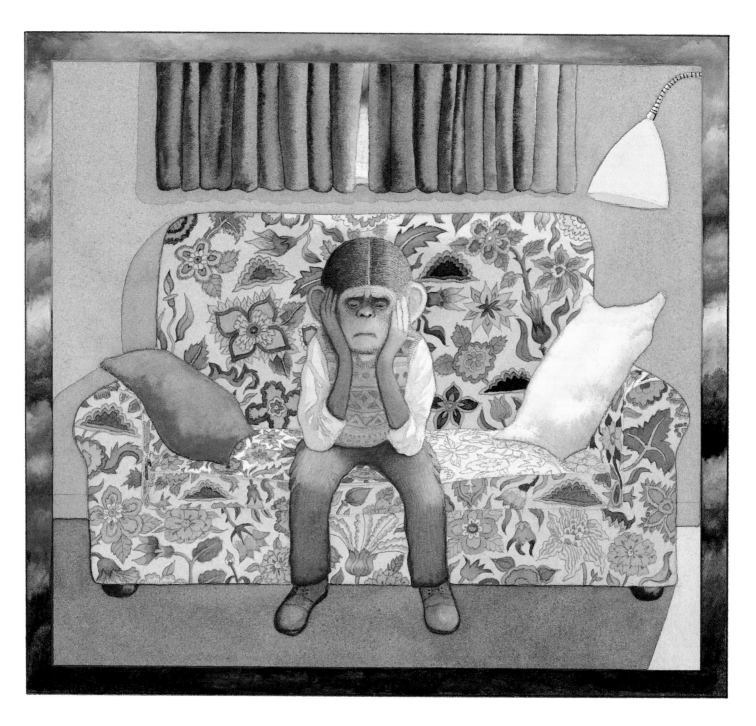

"Esa nube es horrible —pensó Willy—. ¿Cómo me deshago de ella?"
El cuarto se volvió cada vez más oscuro, así que prendió la luz
y cerró las cortinas.

Después de un par de horas, Willy se asomó temeroso por la ventana.
—Genial, ¡se ha ido! —gritó.

(Pero estaba equivocado…)

Willy se sentía frustado. La casa se estaba calentando mucho.
Le costaba respirar. Parecía que no había aire. Escuchó ruidos muy
fuertes retumbando afuera y poco a poco empezó a ponerse furioso.
No podía soportarlo más. Así que corrió hacia afuera…

Entonces todo se quedó en silencio. ¿Qué estaba pasando? ¿La nube estaba llorando? Se sentía maravilloso. La lluvia suave y fresca era deliciosa. Willy se sentía con ganas de cantar… e incluso ¡bailar!

Después de un rato la lluvia se detuvo y el sol salió.

"Creo que intentaré ir al parque de nuevo", pensó Willy.

Y esta vez, cuando llegó allí ¡TODOS estaban felices!